SCÉNARIO :
TRISTAN ROULOT

DESSINS :
CORENTIN MARTINAGE

COULEURS :
ESTEBAN

Merci à tous les ptis et grands goblins croisés en festival
ou en librairie et qui nous suivent depuis le premier album : C'est pour vous qu'on bosse les gars !

Tristan

Merci à tous ceux que j'ai oubliés dans le tome 1.

Corentin

Merci à mes parents, à Émilie, à François, et à l'association BD Les Z'Aéro' Graff.

Esteban

© MC PRODUCTIONS / ROULOT / MARTINAGE
Soleil Productions
15, Boulevard de Strasbourg
83000 Toulon - France

Bureaux parisiens
25 Rue Titon - 75011 Paris - France

Conception et réalisation graphique : Studio Soleil

Dépôt légal : Septembre 2007 - ISBN : 978-2-84946-947-7

Impression : Lesaffre - Tournai - Belgique

ALORS ?
ÇA MORD ?

BAH, FAUT
ATTENDRE
UN PEU...

D'AILLEURS, TU
PEUX ME TENIR ÇA,
FAUT QUE J'AILLE
AU PETIT COIN.

AVEC PLAISIR !

TU ME REGARDES
PAS HEIN !

MEUH NON
T'INQUIÈTE !

TU SAIS,
J'ADORAIS LA PÊCHE
QUAND J'ÉTAIS,
PETIT !

OUÉ,
JE SAIS !
ARRÊTE DE ME
DÉCONCENTRER,
SINON J'Y
ARRIVE PAS !

EN PLUS
SI TU PARLES
TOUT LE TEMPS, TU
PRENDRAS RIEN !

OK,
OK ...

ÇA MORD
PAS SON
TRUC...

DIS,
À PROPOS !
TU PÊCHES
À QUOI ...

À LA
GRENADE.

Roulot/Martinage .06

3

ILS ÉTAIENT PARTIS VOILÀ BIEN DES LUNES,

PAR-DELÀ LES COLS ET LES BRUMES,

PAR-DELÀ LE SEL ET L'ÉCUME,

S'ENFONÇANT TOUJOURS PLUS, AU PLUS PROFOND DES DUNES,

JUSQU'AU PIC CÉLESTE DONT PARLAIT LA COUTUME.

UN DIEU LES AVAIT FAITS ! IL FAUDRAIT QU'IL ASSUME !

POURQUOI LEUR EXISTENCE ? POURQUOI TANT D'INFORTUNE ? QUELLE RAISON À LEUR VIE LUI SEMBLA OPPORTUNE ?

OH NON, PAS DU TOUT ! AVEC LES POTES, ON ÉTAIT JUSTE BOURRÉS ! C'ÉTAIT À CELUI QUI CRÉAIT LE TRUC LE PLUS CRÉTIN, VOUS VOYEZ LE GENRE ...

ALLEZ SALUT !

Roulot/MARTINAGE .06

55

4

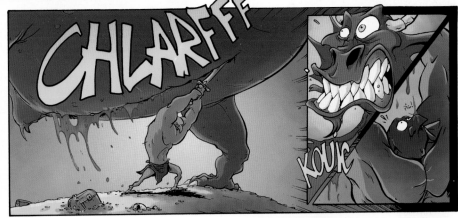

IL A DIT QU'IL
ALLAIT FAIRE UN
BAIN DE SANG...

ET PUIS
PLUS RIEN.

Roulot/MARTINAGE.06

UN BON PLAN, DES EXPLOSIFS : CAP SUR LE CHÂTEAU !

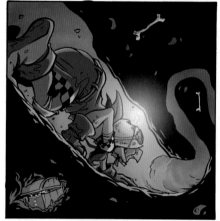

ÇA DEVIENT HUMIDE... JE DOIS ÊTRE SOUS LES DOUVES !

UN P'TIT EFFORT, J'Y SUIS PRESQUE...

HMM... NON, COINCÉ.

ENFIN TANT QUE L'EAU NE MONTE PAS...

AIE !

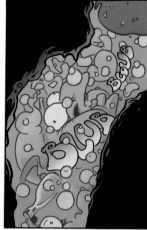

RAHHH !!! IL EST OÙ L'INGÉNIEUR ?!!

C'EST ENCORE TOUT BOUCHÉ LÀ-DEDANS !!!

ROULOT/MARTINAGE .06

Roulot/Martinage.06

TU SAIS FAUT PAS CROIRE ! CAPTURER UN DRAGON, C'EST PAS PLUS COMPLIQUÉ QU'ATTRAPER UNE LIBELLULE !

HÉ... T'AS PAS ENTENDU QUELQUE CHOSE ?

FFFFSHHHH

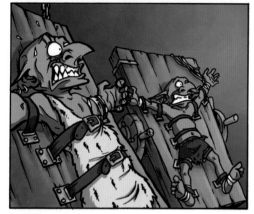

CRATCH

CLAK

SHCRAF

...ET DEVANT TOUT LE CHÂTEAU RÉUNI POUR L'OCCASION, LE GENTIL GÉANT DÉPOSA UN DOUX BAISER SUR LA JOUE DE LA PRINCESSE !

POURQUOI C'EST TOUT LE TEMPS ELLE QU'A LE DROIT DE JOUER AVEC LES GOBLINS ET PAS NOUS ?

C'EST NUL !!!!

Roulot/Martinage .05

Poulot/Martinage .06

L'INGÉNIEUR !! ON REPART EN GUERRE CONTRE LES NAINS !

JE VAIS AVOIR BESOIN D'UNE CATAPULTE UN PEU PLUS FRAÎCHE QUE CELLE-CI !

TU ME LA PRÉPARES POUR DEMAIN.

PAS DE SOUCIS CHEF ! JE REVIENS DE LA VILLE ! J'AI PLEIN DE NOUVELLES IDÉES !

ÇA VA ÊTRE COMPLIQUÉ, MAIS ...

LE LENDEMAIN ...

TAP TAP TAP

HÉ CHEF ! ELLE VOUS A PLU MA NOUVELLE CATAPULTE ?

TA CATAPULTE !!! TU VAS PLUTÔT ME DIRE À QUI TU L'AS PIQUÉE !

NON NON ! C'EST DU BOULOT DE BIBI ! JE L'AI PAS PIQUÉE !

ALORS POURQUOI TOUT LE MONDE M'APPELLE JACKY !?

BOM BOM BOM

POMP POMP UP!

Roulot/MARTINAGE.06

DITES ! JE SUIS EN PLEIN TRAVAUX, J'AI BESOIN DE BRAS POUR RETAPER MA TOUR !

VOUS ÊTES QUI D'ABORD !?

JE NE ME SUIS PAS PRÉSENTÉ ? JE SUIS...

ZORGLAR !!!

GRAND MAÎTRE ES-NÉCROMANCIE, AU SERVICE DU MAL DEPUIS PLUS DE VINGT ANS !

VOICI MA CARTE.

ZORGLAR NÉCROMANCIE

HÉ ! JE VOUS RECONNAIS ! C'EST VOUS QUI VENDEZ DES POTIONS !

BIEN ! JE VOUS APPRENDS QUE NOUS SOMMES DÉSORMAIS VOISINS !

J'EMMÉNAGE DANS LA TOUR ABANDONNÉE PRÈS DU MARAIS MAUDIT. UNE AFFAIRE...

...HÉLAS LAISSÉE EN BIEN TRISTE ÉTAT PAR L'ANCIEN PROPRIÉTAIRE !

MEUBLES, DÉCO : TOUT EST À REFAIRE !

ET POUR ÇA, J'AI BESOIN DE BRAS... PRÊTEZ-MOI VINGT DE VOS PETITS BONSHOMMES, CE SERA L'AFFAIRE D'UNE APRÈS-MIDI !

CHEF ! CHEF !!

IL VOULAIT JUSTE NOS BRAS !!!

MON CHER ! VOTRE INTÉRIEUR EST D'UNE HORREUR... SPLENDIDE !

C'EST À DIRE QUE C'EST TELLEMENT... GOTHIQUE !

Roulot/MARTINAGE.07

MES P'TITS GARS ! SINCÈREMENT, JE CROIS QU'ON NE MANQUE PAS DE RESSOURCE !

C'EST NOTRE LOGIQUE QUI NE VA PAS.

PAR EXEMPLE... QU'EST-CE QU'IL FAUDRAIT POUR QU'ON DEVIENNE PLUS FORTS !?

FACILE !!! AVEC UNE MACHINE QUI CONNECTERAIT LE CERVEAU AUX MUSCLES DES GENOUX...

DES PROPULSEURS SUR LES AVANT-BRAS !! ET COMME ÇA BOUM-BOUM !!!

NON, NON, NON ! C'EST ÇA QUI NE VA PAS : IL FAUT FAIRE PLUS SIMPLE !

ALORS JE VOUS AI PRÉPARÉ UN PROGRAMME EN DOUCEUR, POUR RETROUVER UNE LOGIQUE SAINE...

VOILÀ !!!!! COMME ÇA ! VOUS AVEZ COMPRIS ?

OH OUI OUI CHEF ! MAINTENANT TOUT EST CLAIR !!!

ROULOT/MARTINAGE .06

76

13

CHEF, VOUS M'AVEZ APPELÉ ?

SHAMAN...

MES GOBLINS NE VONT PAS BIEN DU TOUT... TU PEUX FAIRE QUELQUE CHOSE ?

SHAMAARG...

JE ME SENS MAL DANS MON CORPS !

VOUS AVEZ DÉJÀ ENTENDU PARLER DE LA GUÉRISON PAR L'HYPNOSE ?

PAS VRAIMENT NON.

BIEN LES ENFANTS ! TOUT LE MONDE FERME LES YEUX ! ET ON ÉCOUTE LE SON DE MA VOIX !

VOS PAUPIÈRES SONT LOURDES, LOURDES, VOUS AVEZ SOMMEIL, TRÈS SOMMEIL ...

ET VOUS IMAGINEZ ...

UNE CLAIRIÈRE...

LE SOLEIL QUI BRILLE.

UN VENT LÉGER QUI TAQUINE VOS NARINES ...

...CARESSE L'HERBE VERTE ...

AU LOIN, VOUS ENTENDEZ ...

LE GAZOUILLEMENT D'UN RUISSEAU ...

ET VOUS VOUS SENTEZ BIEN...

TELLEMENT BIEN.

...VOUS OUVREZ LES YEUX ...

OUAH SHAMAN ! JE ME SENS TELLEMENT MIEUX !!!!

C'EST NORMAL MON PETIT. QU'EST-CE QUI TE FERAIT PLAISIR ?

MERCI SHAMAN !

VOUS SAVEZ, CHEF, LA GUÉRISON, C'EST AVANT TOUT UNE HISTOIRE DE MENTAL.

VAS-Y ! SHOOT !!

JE COURS ! JE COURS !

ROULOT/MARTINAGE .07

14

Roulot/Martinage .06

HMMMM... CE SORCIER ME FAIT CONCURRENCE !

...CETTE POTION VOUS FERA CRACHER DU FEU !

CELLE-CI VOUS DONNERA LA FORCE D'UN GÉANT !

ET CELLE-LÀ...

SORCIER ! TU VENDS DES POTIONS MAIS TU NE CONNAIS RIEN À LA VRAIE MAGIE ! JE TE PROVOQUE EN DUEL !

J'ACCEPTE TON DÉFI !

AH ! AH ! TU ES BIEN FOU, CAR JE VAIS ME CHANGER EN DRAGON !!!

PARCE QUE TU CROIS QU'EN MAGIE, LA FORCE BRUTE SUFFIT ?!

TRÈS BIEN ! JE VAIS ME TRANSFORMER EN COCKATRICE ET TE PARALYSER AVEC MES YEUX !

CE GROS POULET VOLANT !? SI TU VEUX...

HÉ HÉ !

NON ATTENDS ! J'AI UNE MEILLEURE IDÉE !

...EN PHÉNIX !

...EN CENTAURE ?!

MOUHAAA

...EN COCHON !!!

HOUUU, LE COCHON... C'EST UN SORT DIFFICILE ! À MON AVIS TU N'Y ARRIVERAS PAS ...

NE ME DÉFIE PAS !!! JE VAIS LE FAIRE !!!

ALORS TU M'OBLIGES À UTILISER...

...LE POUVOIR ANCESTRAL DE LA POTION DE LA MÈRE LULU !!!

72

...QUI AGRÉMENTERA AVEC BONHEUR TOUS VOS PLATS DE VIANDES EN GRILLADE.

QUELQU'UN VEUT DU JARRET ?

POC

ROULOT/MARTINAGE.07

HÉHÉ ! ALORS C'EST QUI LE PATRON MAINTENANT ?

DIS-MOI L'INGÉNIEUR, JE SUIS DANS LE BILAN. C'EST NORMAL QU'ON BOUFFE DEUX FOIS PLUS QU'AVANT ?

VOUS AVEZ DÛ OUBLIER LES CLONES, CHEF.

LES CLONES !!?

QU'EST-CE QU'ILS FONT ENCORE LÀ CEUX-LÀ !?

ILS PENSENT TOUT PAREIL QUE NOUS !

POUR EUX, C'EST LEUR VILLAGE ...

ÇA C'EST CE QU'ON VA VOIR !

BON ! VOUS DÉGAGEZ MAINTENANT !!! C'EST CHEZ NOUS ICI !

...DÉGAZEZ MAINTENANT ! C'EST ZEZ NOUS ICI !!!

J'AI DIT : DEHORS !

DEHORS !

OH NON ! ON VA PAS JOUER À CE JEU-LÀ !!!

ON VA PAS ZOUER À ZE ZEU-LÀ !!!

ON EST AVEC VOUS, CHEF !

TIREZ-VOUS...

DIREZ-VOUS !

...

MAIS C'EST PAS VRAI ! CASSEZ-VOUS BANDE DE SALES CLONES !!

CHEF ! NON !!

...ET EN PLUS, ILS NOUS ONT TRAITÉS DE SALES CLONES ...

CHEF, J'AI MAL...

Roulot/MARTINAGE .06

19

Roulot/MARTINAGE.06

INGÉNIEUR ! ON PART EN GUERRE ! ON A BESOIN DE MACHINES DE SIÈGE !

DE QUOI ?!

BRRRR

IL NOUS FAUT DES MACHINES DE SIÈGE ! POUR TENIR UN SIÈGE !

VOUS VOULEZ DES CHANDELIERS ?

DES CHANDELIERS ?!? POUR TENIR UN SIÈGE ?

AAAAAAH... UN SIÈGE !? J'AVAIS COMPRIS UN CIERGE !

PAS DE PROBLÈME.

JUSTE UNE QUESTION, C'EST POUR METTRE OÙ VOTRE SIÈGE ?

MAIS C'EST PAS "POUR METTRE OÙ" !!! C'EST UN SIÈGE ! POUR UN CHÂTEAU !!!

D'ACCORD ! DONC PLUTÔT QUELQUE CHOSE DE COSSU, AVEC DU BEAU BOIS, DU CHÊNE, DES DORURES, DES ACCOUDOIRS EN CUIR ?

OUÉ MAIS NON, JE SAIS PAS FAIRE ÇA MOI.

Roulot/Martinage .06

23

VUE DÉGAGÉE, CACHETTE PARFAITE : GOBLIN DES BOIS PARÉ POUR L'ACTION !

MIMII MIMI

PFFUUT

HEROÏC PIZZA VOUS SOUHAITE UNE JOYEUSE PIZZA SURPRISE !

PFUUUT

MAIS J'AI PAS COMMANDÉ DE PIZZA ?!

NORMAL, C'EST UNE PIZZA SURPRISE.

OOOH ATTENDEZ, JE LES CONNAIS VOS COMBINES DE PIZZAIOLOS ! VOUS FOURGUEZ DES PIZZAS AUX GENS QU'ONT RIEN DEMANDÉ !

ET MOI JE LES CONNAIS LES CLIENTS QUI FONT REFROIDIR LES PIZZAS EXPRÈS POUR PAS LES PAYER !!

ALORS TU PRENDS TA COMMANDE !

JE PAYERAI JAMAIS !

SALAUD DE PAUVRE !

COMMERCIAL !

MOULE À GAUFFRE !

MIROIR !

MIROIR ANTI-MIROIR !

PLUS TARD.

ALORS ? ELLE T'A FAIT PLAISIR MA PIZZA SURPRISE ?!

GRRRR... C'EST TOI QUI AVAIS COMMANDÉ ÇA !? T'AURAIS PU LE DIRE !

BAH ! C'ÉTAIT UNE SURPRISE ! J'ALLAIS PAS TE LE DIRE.

PAS À MOI, IDIOT !

À EUX !

DONC SI J'AI BIEN COMPRIS, C'EST VOUS QUI PAYEZ ?!

ROULOT/MARTINAGE .06

24

VLAN

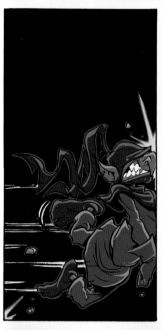

CELLE-LÀ !

PERDU,
C'ÉTAIT CELLE
DE GAUCHE !

TU
ME DOIS TES
MONTAGNES, TA
FEMME, PLUS TON
TROUPEAU DE
DRAGONS !

ALLEZ !!!
RELANCE-EN UNE,
JE VAIS ME
REFAIRE !

ROULOT/MARTINAGE .07

25

C'EST LÀ, C'EST MON VILLAGE !

BIEN, MEIN PÉTITE KAMARADE...

LES GARS ! JE VOUS PRÉSENTE BORIS !

BONCHOUR LES PÉTITES ÉKUREUILS.

C'EST UN ANCIEN DE LA GRANDE GUERRE ! IL A PROMIS DE NOUS AIDER PARCE QUE L'INJUSTICE LE RÉVOLTE !!

C'EST GENTIL !

ALERTE !!! CAVALERIE !!!

PARFAIT BORIS ! C'EST LE MOMENT ! BALANCE-LEUR DES ROCHERS PLEIN LA FACE !!

GO !!

?!

MAIS QUEST-CE QU...?!

ILS SONT MALADES !?

NON ! LÀ ! LES ROCHERS !!!

LÀ !!

QU'IL EST BÊTE ! ICI ON TE DIT !

LES ROCHERS !!

ICI!

RETRAITE !! RETRAITE !!!!

ET VOILÀ MES PÉTITES AMIS ! AVEC CE QU'ON LEUR A MIS, ILS NE REFIENDRONT PAS DE SI TÔT !

Roulot/Martinage. 07

27

QU'EST-CE QUE ..?

OUAHHH !

C'EST MAGIQUE !

... MAIS ON PEUT FAIRE MIEUX.

DIS, T'ES SÛR DE TOI LÀ ?

LE GARS, AVEC UNE FLÛTE, IL DRESSE UN SERPENT !

AVEC TOUT UN ORCHESTRE, JE VOUS RACONTE MÊME PAS CE QU'ON VA SE RAMENER !

ROULOT/MARTINAGE .06

...ET C'EST POURQUOI, BIQUETTE, TOUTE POLITIQUE SÉCURITAIRE ENTRAÎNE NÉCESSAIREMENT L'APPARITION DE ZONES DE NON-DROIT...

HOLÀ MARCHAND ! JE SUIS GOBLIN DES BOIS ET JE TE DÉPOUILLE DERECHEF !

UNE SECONDE ! HEY ! SALUT COLLÈGUE !

SALUT MARCHAND !

CONTENT DE TE VOIR ! COMMENT ÇA VA !?

EN PLEINE FORME ! JE REVIENS DE LA VILLE, JE ME SUIS FAIT UN BONUS DE FOLIE ! ET TOI ?

BAH ÉCOUTE, PAS MAL, COMME TU VOIS, JE ME FAIS AGRESSER TRANQUILLE...

BIEN ! BIEN ! ET SINON, LA FEMME, LA PETITE FAMILLE ? TU SAIS QUE MA DERNIÈRE INTÈGRE L'UNIVERSITÉ L'ANNÉE PROCHAINE ?

STOP !!! SILENCE MAINTENANT !

ET TOI AUSSI JE T'ATTAQUE !

TRÈS BIEN ÇA ! ELLE ENTRE EN QUOI DÉJÀ ?!

C'EST UN BI-DEUG, COMMERCE ÉQUITABLE ET ÉTHIQUE INTERNATIONALE. ELLE VA REPRENDRE MON AFFAIRE, ON VA SE FAIRE DES GLOUILLES EN OR !

AH ! ÇA FAIT PLAISIR D'ENTENDRE ÇA !

MAIS !

DONNEZ-MOI MON ARGENT !

TANT QUE JE TE TIENS, POURQUOI TU DIS PAS À TA FEMME DE VENIR MANGER TOUS ENSEMBLE UN DE CES QUATRE ?

ARRÊTEZ !

NON !!

C'EST UNE SACRÉE BONNE IDÉE ! BON C'EST PAS TOUT ÇA, J'AI RENDEZ-VOUS CHEZ MON BANQUIER !

ARRÊTEZ CE QUE VOUS FAITES !

STOP !

ALLEZ À PLUS, MARCHAND !

SALUT MARCHAND ! ET N'OUBLIE PAS MON INVITATION !

HEP...
ARRÊTEZ...
NON !
STOP..
ATTEND...

MAIS...
JE...
SOB...

ON A PEUT-ÊTRE ÉTÉ UN PEU LOIN LÀ ?

BOH, T'INQUIÈTE, IL S'EN REMETTRA.

Roulot/MARTINAGE .07

81.

DES BARBARES ARRIVENT !!!

GOBLINS ! À L'ASSAUT !!!

EUH... EN FAIT, ON SE DEMANDAIT...

POURQUOI C'EST TOI QUI DONNES TOUJOURS LES ORDRES ?

PARCE QUE C'EST MOI LE CHEF !

ALORS À L'ASSAUT !!!

ET POURQUOI C'EST TOI LE CHEF ?

IL A RAISON.

PARCE QUE C'EST COMME ÇA !!! JE SUIS LE CHEF ! JE SUIS LE MEILLEUR !!!

N'EMPÊCHE... TU DIS ÇA, MAIS PERSONNE T'A JAMAIS VU TE BATTRE.

C'EST VRAI ÇA D'ABORD !

OUÉ.

TRÈS BIEN ! JE VAIS VOUS MONTRER, MOI !

PFIOU ! IL A L'AIR REMONTÉ !

INCROYABLE ! VOUS CROYEZ QU'IL VA...

BING BONG ! BAF TAC BANG PAM

SHPAF

MOUÉ... C'EST CE QU'ON DISAIT...

IL ÉTAIT PAS MIEUX QUE NOUS !

VOUS ÊTES MOURU, CHEF ?

PARDON CHEF ! EXCUSE-NOUS D'AVOIR DOUTÉ !

HOSANNA ! HOSANNA !

VAE VICTIS !

ALLEZ L'OUÏA !

GLORIA !

T'ES VRAIMENT NOT'CHEF, CHEF !!!

MÉHEUUU... IL M'A TIRÉ LES CHEVEUX !

Roulot/MARTINAGE .07

53.

HÉ L'ARTIFICIER ! ÇA T'INTÉRESSE UN PLAN POUR METTRE LE FEU AU CHÂTEAU !?

LE FEU ! LE FEU !!!

ALORS VA VOIR L'INGÉNIEUR, IL VA TE DONNER DEUX CHOSES. LA PREMIÈRE, C'EST UN HARICOT, UN GROS HARICOT.

CULTURE BIOLOGI-QUE !

LA SECONDE, C'EST UNE NACELLE EN OSIER DANS UN SAC DE TOILE. PRENDS TOUT ÇA ET RENDS-TOI CHEZ NOTRE AMI LE VIEUX GÉANT MYOPE.

DONNE-LUI LE HARICOT, IL ADORE ÇA !

EINE KROSSE NOISETTE POUR MOI ? MERCI PÉTITE ÉKUREUIL !

IL FAUDRA PAS LONGTEMPS AVANT QU'IL AILLE PIQUER UN P'TI ROUPILLON.

ACH ! CHÉ TROP MANCHÉ !

...TEMPS DÈ FAIRE EIN PÉTITE ROUPILLON !

DÈS QUE L'EFFET DU HARICOT COMMENCE À SE FAIRE SENTIR, REMPLIS VITE FAIT LE SAC DE L'INGÉNIEUR. C'EST UN GAZ VOLATILE HAUTEMENT EXPLOSIF...

...ALORS PAS DE MAUVAISE MANIPULATION ! UNE FOIS LE SAC BIEN GONFLÉ, ATTACHE LA NACELLE ET MONTE DEDANS !

GNÉ !

LE GAZ VA T'EMPORTER DANS LES AIRS. METS LE CAP SUR LE CHÂTEAU.

C'EST LE JOUR DE LA FÊTE DES MONTGOLFIÈRES : PERSONNE NE FERA ATTENTION À TOI. POSE LE BALLON DANS LA COUR DU CHÂTEAU.

VIDE LE GAZ DANS LES CAVES PAR UN SOUPIRAIL. CRAQUE UNE ALLUMETTE, ET PLUS UNE PIERRE NE RESTERA DEBOUT APRÈS L'EXPLOSION !

BONNE CHANCE, ET REVIENS-NOUS VITE !

ROULOT/MARTINAGE.07

80.

31

TROUVER L'AMOUR ! VOILÀ UN DÉFI POUR GOBLIN DES BOIS !

...RAAAH !!! MAIS C'EST PAS POSSIBLE !

J'ARRIVERAI JAMAIS À CHOPPER CES @🐷☆⚡ DE DRYADES !!!

DES DRYADES ...!?

MONSIEUR ! EXCUSEZ-MOI ! VOUS AVEZ VU DES DRYADES !?!

PFFFFF... OUBLIE, PTI GARS !

ELLES SE CHANGENT EN ARBRE DÈS QUE TU LES APPROCHES ! À TA PLACE J'ÉVITERAIS DE PERDRE MON TEMPS.

ENFIN, SI TU VEUX TENTER TA CHANCE...

ELLES SONT DANS LE LAC JUSTE DER...

QU'EST-CE QUE C'EST QUE ÇA !?

SNIF SNIF SNIF SNIF

FROT ! FROT ! FROT !

DÉSOLÉ. C'EST L'APPEL DE LA FORÊT... CHAQUE ANNÉE, C'EST PAREIL.

ARF ARF AARF ARF ARF ARF

ARF ARF ARF ARF

AAOOUUU

...Y'A DÉJÀ DES LOUPS À CETTE ÉPOQUE ?

FAUT CROIRE... IL EST OÙ LE NINJA ?!

IL A DIT DE LE SUIVRE, MAIS IL EST MONTÉ LÀ-HAUT !

ALORS À NOUS DE JOUER !!

VOUS VOULEZ TOUJOURS Y ALLER ?

MAIS OUI ! ON A LA POTION !

4.

ALLEZ TESTO+ !!! RÉVÈLE L'HUMAIN QUI EST EN NOUS !!!

PSHIT PSHIT PSHIT PSHIT

YEAH ! ON EST TROP BEAU !

EN EFFET, C'EST PLUTÔT CONCLUANT.

À TOI L'ÉLU !

PUF...

HEY ! Y'EN N'A PLUS POUR L'ÉLU, ON FAIT COMMENT MAINTENANT ?!

JE VOUS L'AVAIS DIT ! ON NE PASSERA JAMAIS...

SI, JE SAIS !!!

ON VA FAIRE CROIRE QUE C'EST NOTRE PRISONNIER !

AH ! AH ! PRENDS ÇA, SALE GOBLIN !

NOUS, ON EST DES HUMAINS ! ON N'AIME PAS LES GOBLINS !!!

BAF

GARDE ! LAISSE-NOUS PASSER !

...IL VA SÛREMENT LE PENDRE !

ON A CAPTURÉ CE GOBLIN POUR LE LIVRER AU ROI !

BAF BAF

HEP ! TOI LE GOBLIN ! REVIENS PAR ICI !!!

IL EST GÉNIAL TON COSTUME, PTI GARS !

MAIS RASE TES CHEVEUX, LÀ C'EST PAS RÉALISTE...

POURQUOI IL A DIT UN COSTUME ?

BAL COSTUMÉ

T'AS VU ÇA, L'ÉLU ?

...ON A RÉUSSI !

POC

5.

...LES FILLES, JE VOUS LE DIS C'EST DE LA DOUCEUR, RIEN QUE DE LA DOUCEUR !

ET D'AILLEURS ÇA ME RAPPELLE UNE HISTOIRE...

VOUS VOYEZ LE CHÂTEAU LÀ-BAS ? À L'ÉPOQUE C'ÉTAIT PAS UN CHÂTEAU.

...C'ÉTAIT UN VILLAGE.

HÉ SALUT JACQUELIN !

SALUT À TOI JACQUELIN !

LE VILLAGE DES JACQUELINS.

ET LES JACQUELINS, ILS AVAIENT LES PLUS BELLES FEMMES DE LA RÉGION.

MAIS NOUS, ON AVAIT UN PLAN POUR LEUR PIQUER...

ALORS ON S'ÉTAIT DÉGUISÉS EN LAVANDIÈRES, POUR LES APPROCHER À LA RIVIÈRE, SANS QU'ELLES SE MÉFIENT...

HISTOIRE DE DRAGOUILLER UN PEU, FAIRE CONNAISSANCE...

LÀ-DESSUS, LES JACQUELINS ONT DÉBOULÉ, ET LÀ...

ALORS LES FILLES ?

ON SE PROMÈNE ?

ENFIN BREF, C'ÉTAIT PAS UNE SI BONNE IDÉE.

ALLEZ PAPI !

C'EST L'HEURE DE CHANGER LA POCHE À CACA.

BONNE CHANCE LES P'TIS GARS ! OUBLIEZ PAS CE QUE JE VOUS AI DIT !

BON...

VITE ! IL ME FAUT PLUS DE BOIS !

...ON VA OÙ MAINTENANT ?

UN PEU PLUS TARD MAIS PAS TROP QUAND MÊME...

BÉH ! Y'A PERSONNE ?!

ELLES SONT OÙ LES DRYADES ?!

ELLES SONT PAS ENCORE ARRIVÉES, C'EST SÛR !

EN PLUS, JE SUIS CLAQUÉ !

JE VAIS ME POSER LÀ, ET LES ATTENDRE.

ET AU CHÂTEAU...

AH LA LA ! MA POUPETTE, TU AS VU TOUTE CETTE AGITATION EN VILLE ?

ON RISQUE D'AVOIR BIEN DU MAL À FERMER L'OEIL CE SOIR...

MAIS MAMAN A TOUJOURS SES PETITS CACHETS MAGIQUES, HEIN POUPETTE ?

SALE GOBLIN !!

...ON VA T'APPRENDRE À RESPECTER LES HUMAINS !

7.

BON...

TOUJOURS PERSONNE ET ÇA COMMENCE À FAIRE FRAIS !

UN PETIT FEU, ÇA PEUT QUE LES FAIRE VENIR...

NOOOOOONN!!!

FUYEZ MES SŒURS !!! IL A UNE HACHE !

BAH ?! VOUS ÉTIEZ LÀ ?!

ATTENDEZ !! NE PARTEZ PAS !!!

JE CHERCHE L'AMOUUUR !!!

...MON DIEU ! IL ARRIVE ! ON VA TOUTES MOURIR !

ON FERA CE QUE VOUS VOULEZ ! NE NOUS FAITES PAS DE MAL !!!

MAIS QUI A PARLÉ DE VOUS FAIRE DU MAL ?! JE SUIS GOBLIN DES BOIS...

...ET MON DEUXIÈME PRÉNOM, C'EST TENDRESSE, FAUT PAS AVOIR PEUR MESDEMOI- SELLES !

C'EST VRAI QU'IL A L'AIR GENTIL

ET MIGNON MÊME...

PAS COMME L'AUTRE VICIEUX !

QUEL AUTRE !?

YAAAAAAAAAG

XANAAAAAAAAAAA

J'EN AI UNE ! J'EN AI UNE !!!

PSST ! TU VEUX T'AMUSER UN PEU ? J'AI DES TRUCS SI TU VEUX...

OH OUÉ ! OUÉ !

YATTA!! YATTA! YATTA!!

NON MAIS LIS-MOI CETTE ANNONCE ! "goblin, cultivé, bonne position sociale, cherche femelle pour se reproduire, et plus si affinités" Y'EN A VRAIMENT QUI DOUTENT DE RIEN !

C'EST BON HEIN !?

OUIRFLL... COMMENT FU F'APPELLES ?

AH-AH ! OUÉ OUÉ ! LES GOBLINS, EUH... ON EST DES HUMAINS, POUR QUI ILS SE PRENNENT, HEIN ?

T'AS RAISON... JE VAIS LE CONTACTER ! ET S'IL SE POINTE, JE LUI COUPE SON PTI HARICOT !

...ALORS, T'ES SURPRIS ? C'EST MOI LA PETITE FILLE DU ROI !

MAIS FAUT PAS CROIRE, PRINCESSE, C'EST PAS TOUS LES JOURS FACILE À PORTER...

JE VEUX DIRE, TU CONNAIS PAS MON PÈRE QUOI...

DIS, TU VEUX PAS VENIR PRÈS DE MOI ?

ALLEZ... ENLÈVE TON MASQUE !

J'AI ENVIE DE T'EMBRASSER !

MAIS !? MAIS...T'ES UN VRAI GOBLIN, EN FAIT ?

QUELLE HORREUR !!!

À L'AIIIIIIIIIIIDE !!

AH NON !

ÇA VA PAS RECOMMENCER, HEIN !!!

MAIS DÉGAGE, ESPÈCE DE DÉBILE !

FROT FROT FROT FROT

CRAK

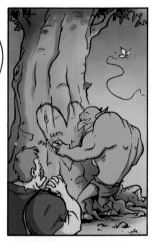

9 MOIS PLUS TARD.

ALLONS, POUPETTE, NE PLEURE PAS !

TU SAIS BIEN QU'ON NE PEUT PAS LE GARDER...

NON ! POUPETTE ! REVIENS !!

PATIENCE !

J'AI CONSULTÉ LES DIEUX ! C'EST POUR AUJOURD'HUI !

D'AILLEURS REGARDEZ QUI VOILA !

YARK ! YARK !*

CLAP

* VENGEANCE !

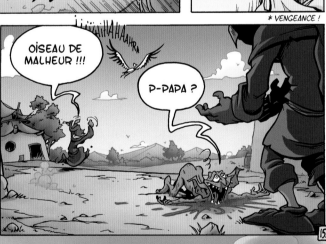

OISEAU DE MALHEUR !!!

P-PAPA ?

FIN

ROULOT & MARTINAGE 2007.